Capitaine Rosalie

Pour Jeanne
T. F.

À Molie, la plus grande des petites lectrices que je connaisse
I. A.

© Timothée de Fombelle, 2014, pour le texte
D'abord publié en tant que nouvelle dans le recueil *The Great War : Stories Inspired
by Objects from the First World War* par Walker Books Ltd en Grande-Bretagne.
© Isabelle Arsenault, 2018, pour les illustrations
Présente édition publiée avec l'accord de Walker Books limited, London SE11 5HJ
Tous droits réservés
L'ouvrage ne peut être reproduit ou transmis, en totalité ou en partie, par aucun moyen électronique,
mécanique, par photocopie ou autre, sans le consentement préalable de l'éditeur.
© Éditions Gallimard Jeunesse, 2018
Mise en page : Karine Benoit
ISBN : 972-2-07-510769-3
Numéro d'édition : 396792
Premier dépôt légal : septembre 2018
Dépôt légal : mai 2021
Imprimé par Lego en Italie
Loi n°49-956 du 16 juillet 1949 sur les publications destinées à la jeunesse

Certifié PEFC

Ce produit est issu
de forêts gérées
durablement et de
sources contrôlées.

PEFC/18-31-280   www.pefc-france.org

TIMOTHÉE DE FOMBELLE

Capitaine Rosalie

ISABELLE ARSENAULT

GALLIMARD JEUNESSE

J'ai un secret.

On croit que je dessine dans mon cahier,

assise sur le petit banc, sous les portemanteaux, au fond

de la classe. On croit que je rêve en attendant le soir.

On m'appelle Rosalie. Et le maître d'école passe à côté

de moi quand il fait la dictée à ses élèves.

Il pose sa main sur mes cheveux.

Mais je suis un soldat en mission. J'espionne l'ennemi.

Je prépare mon plan.

Capitaine Rosalie.

Je suis déguisée en petite fille de

cinq ans et demi, avec mes chaussures,

ma robe et mes cheveux roux. Je n'ai pas

de casque et d'uniforme pour ne pas me

faire remarquer. Je reste là, silencieuse.

Pour tous les grands, je suis la petite

qui vient s'asseoir au fond de la classe

et ne fait rien toute la journée.

Ma mère travaille à l'usine depuis le début

de la guerre, depuis que mon père est parti au combat.

Maintenant, je suis trop grande pour aller chez

la nourrice. Alors, on me dépose le matin sous le préau

de l'école des grands, quand le soleil n'est même pas levé.

La cour est déserte. J'attends toute seule en mangeant

les tartines que ma mère a nouées dans un grand mouchoir

de mon père. Des chiens aboient au loin, vers les fermes.
Les feuilles mortes se promènent en sifflant dans la cour.

Le maître arrive à sept heures du matin. Il n'a plus
qu'un seul bras depuis qu'il est revenu de la guerre.
Mais il sourit comme si c'était déjà beaucoup d'en avoir un.
Et d'être là dans le silence de l'école.

— Toujours à ton poste, jeune fille?

Il devrait dire «mon capitaine» et faire claquer ses
talons mais je me tais. Mission secrète. Je ne dois rien
laisser deviner.

Le maître a dit à ma mère au début de l'année qu'il
me garderait dans la classe des grands, au fond, que je
pourrais faire des dessins, qu'il me donnerait un cahier
et des crayons. Ma mère lui a serré la main très
longuement pour le remercier.

Je garde sa sacoche sur les genoux, le temps qu'il ouvre l'école. Ses affaires sentent le feu de bois et le café. Ce doit être l'odeur de sa maison remplie de lumière, juste derrière l'école.

Il y a le grand Edgar qui arrive toujours avant les autres parce qu'il est puni et qu'il doit allumer le poêle de la classe. J'aime bien Edgar. Je vois bien qu'il n'écoute rien, qu'il refuse d'apprendre à compter et à lire, mais un jour, je le nommerai lieutenant. Edgar me permet de gratter l'allumette pour la jeter dans le poêle. Le feu, quand il s'allume, est de la couleur de mes cheveux, comme un petit frère qui me ressemblerait.

Quand les élèves arrivent, je suis déjà assise sur le banc, contre le mur. Ils ont deux ou trois ans

de plus que moi. Je me laisse recouvrir par les manteaux
qu'ils suspendent au-dessus de ma tête sans faire
attention. J'attends un peu et, quand ils sont tous à leurs
bureaux, quand ils me tournent le dos, j'écarte
les manteaux comme si je sortais d'un buisson
et que je prenais leur patrouille à revers
dans une clairière.

Il n'y a qu'Edgar qui me remarque avec
mon cahier serré dans ma main.

Mais j'écoute déjà le maître d'école qui lit à haute voix la première page du journal. Chaque matin, il donne les nouvelles de la guerre.

— Hier, mardi, les troupes allemandes ont été écrasées dans la Somme. Nos hommes se battent et remportent des victoires.

Il dit :

— Il faut tout espérer.

Et puis des noms mystérieux, Combles, Thiepval… Des villages reconquis.

Le maître donne toujours les bonnes nouvelles, jamais les mauvaises. Il laisse encore un peu les élèves debout derrière leur chaise en silence. Il leur dit qu'ils doivent penser à nos soldats qui donnent leur jeunesse et leur vie. Parfois, quand il parle de cela, j'ai l'impression qu'il me regarde et je détourne les yeux pour ne pas attirer son attention. Comment serait-il au courant de ma mission?

Quand la classe s'assied enfin, je fais semblant d'être ailleurs, dans mes pensées, alors que je suis parfaitement concentrée. Je suis le Capitaine Rosalie, infiltrée dans ce peloton, un matin d'automne 1917. Je sais ce que j'ai à faire. Un jour, on me donnera une médaille pour cela. Elle brille déjà au fond de moi.

Les taches de rousseur sous mes yeux, les animaux que je dessine sur la page, les grandes chaussettes jusqu'aux genoux, tout cela n'est que du camouflage. On m'a dit que les soldats se cachent avec des fougères cousues sur leur uniforme. Moi, mes fougères sont des croûtes aux genoux, des regards rêveurs, des chansons que je fredonne pour avoir l'air d'une petite fille.

Le maître trace des signes au tableau, les élèves lisent
à haute voix. J'observe le garçon du premier rang qui se lève
pour aller écrire d'autres choses mystérieuses sur le tableau
noir. Il ne se trompe jamais. Il s'appelle Robert, c'est le fils
du gendarme. Le maître le félicite et le renvoie à sa place.
Je surveille Robert. Je sais qu'il faut savoir reconnaître
les meilleurs soldats pour pouvoir voler leurs secrets.

Le maître chuchote en passant près de moi :

— Va prendre du charbon, Rosalie. Ça t'occupera.

Je me lève de mon banc. Le charbon est rangé dehors,
derrière la classe, sous la fenêtre. Je ne dois pas montrer
que je n'ai pas envie de m'éloigner.

— Tu peux laisser ton cahier.

Mais je le garde dans la main. On n'abandonne jamais
ses armes à l'ennemi. Une fois franchie la porte,

je cours dans le froid vers le tas de charbon. Il faut que

je revienne très vite. Je ne dois pas déserter mon poste.

Le soir, ma mère vient me chercher dans l'école vide.

Le maître et les élèves sont partis depuis longtemps.

Elle me serre dans ses bras et frotte sa tête contre

la mienne. Heureusement que je n'ai pas mon casque

de soldat. Je respire ses cheveux qui sentent bon.

— Tu m'as manqué, Rosalie.

Elle est très fatiguée et j'aime cette fatigue. J'aime quand le courage l'abandonne et qu'elle a les yeux rouges.

Mais très vite, elle se redresse et prend ma main.

— Regarde!

Elle sort de sa poche une enveloppe. Je reconnais les enveloppes blanches remplies de tampons, d'inscriptions noires et rouges. C'est une lettre de mon père.

— Viens, Rosalie. Je te la lirai.

Quand elle m'emmène en me tenant par la main, on ne peut rien voir sur mon visage. Je ne montre rien de mes pensées. Je sens les doigts de ma mère qui serrent très fort ma main tachée d'encre.

— *Quand je reviendrai, j'emmènerai Rosalie à la pêche.*

Allongée dans mon lit, je regarde ma mère qui est à côté avec la lettre posée sur ses genoux. Elle lit:

– *J'ai pensé au ruisseau après le moulin. J'avais vu sauter des truites avant la guerre. Rosalie apprendra à nager. As-tu la recette des truites aux noix? Peux-tu être sûre qu'il restera des noix, si je reviens au printemps?*

Je ferme les yeux. Je n'aime pas ces histoires.

Ma mère continue…

– Ma chérie, je pense à vous. Je sais que Rosalie est sage.
Et que le maître d'école est content de l'avoir. Et toi, je
sais que ton travail est fatigant. Tu aimerais passer plus
de temps avec ta petite fille. Mais quand je mets un obus
dans le canon, je me dis toujours que c'est peut-être toi
qui l'as fabriqué à l'usine. Comme si tu étais à mes côtés
dans la bataille. Oui, les dames nous aident en travaillant
si dur dans ces usines, et les enfants nous soutiennent en
prêtant leurs mamans et en les attendant sagement.

J'essaie de ne pas écouter. De toute façon, je me fiche
d'être sage. Je ne prête ma mère à personne. Je ne veux pas
entendre parler de poissons qui sautent dans les ruisseaux.
Je ne crois pas aux histoires de noix et de moulins.

Aucun autre souvenir que la guerre. J'étais trop petite
avant elle. Et je vois bien que ma mère continue de lire,

longtemps, alors qu'il n'y a qu'une seule page écrite dans l'enveloppe. Je vois bien qu'elle ne s'arrête même pas quand la bougie s'éteint dans la chambre.

Elle me montre un dessin au dos du papier, un trait de charbon qui dessine un paysage. C'est la seule chose qui a l'air vraie. Une forêt au loin et la terre retournée, juste devant, avec des soldats cachés dans des trous. Je reconnais la manière de dessiner de mon père. Je l'ai vu trois fois quand il est revenu en permission pour se reposer de la guerre. Il ne parlait presque pas mais il me serrait dans ses bras et il dessinait des chevaux sur la buée de la vitre.

Je m'endors en pensant aux chevaux qui ruissellent
sur la fenêtre.

La nuit, je rêve d'une médaille qu'on accroche sur ma
chemise de nuit. Je rêve d'un général qui me met la main
sur l'épaule. Je sens le froid de la médaille sur ma peau.

Et chaque jour, ma mission avance. Chaque jour, je
suis à mon poste, capitaine Rosalie, au fond de la classe
en embuscade sous les manteaux.

Je regarde les inscriptions sur le tableau noir comme
si c'était un plan de bataille. J'essaie de me souvenir
de tout. Je recopie des petites choses dans les dernières
pages de mon cahier. Personne ne s'occupe de moi.
Les grands m'ont oubliée. Je suis devenue un manteau
gris accroché au milieu des autres. Il n'y a que le maître
qui se souvient parfois de moi. Et Edgar, le cancre,

mon lieutenant, qui me jette des regards curieux. Je sens
qu'il attend son heure.

Le soir, ma mère me retrouve. Elle a parfois une nouvelle
lettre dans sa poche, parfois rien. Juste des gestes pour
me prendre contre elle, des yeux pour ne pas quitter
les miens. Je préfère cela aux histoires de truites
qu'on pêchera, de nage dans le ruisseau ou de confitures
qu'on fera un jour, en ramassant les framboises sauvages.
Les lettres restent dans la boîte à caramels, au-dessus
des étagères de la cuisine. C'est mieux.

Les semaines se ressemblent. De temps en temps,
la nuit, j'ouvre ma fenêtre et je me penche pour écouter.
Je tends l'oreille. Je me demande si je pourrais entendre
le bruit de la guerre, très loin, derrière les chiens
des fermes.

Et puis un jour, pour mon anniversaire, je reçois de la

neige. De la neige jusqu'au-dessus des chevilles. J'arrive

à peine à ouvrir la porte en me réveillant. Je pousse un cri.

Les flocons tombent tout autour.

Ma mère ne va pas à l'usine ce jour-là parce qu'il neige

trop fort. Je reste avec elle à la maison. Cela ressemble

à la plus belle journée de ma vie. On joue à cache-cache

dans la maison. Elle ne s'est même pas habillée. Je la trouve

en chemise de nuit tapie sous son lit. Elle me fait sursauter.

J'oublie le capitaine Rosalie. J'oublie presque mon père.

Ma mère me roule dans une couverture en riant. Comme il n'y a rien à manger et qu'on ne peut pas sortir, on boit du lait sucré du matin au soir. On se serre à deux dans le même fauteuil devant la cheminée. Je regarde bouger les mèches rousses du feu. Puis elle grimpe pour prendre la grande housse posée sur le toit de l'armoire. Elle sort sa robe de mariée. Elle me montre qu'elle lui va encore.

– C'est juste un peu serré ici, regarde.

Et elle rit encore. Avant la nuit, habillée en blanc, elle me raconte une vraie histoire, avec des îles désertes et des filles de roi.

Mais plus tard, dans mon sommeil, j'entends frapper au carreau. J'entends quelqu'un qui parle à ma mère dans la pièce d'à côté. Je n'arrive pas à me réveiller. Il y a un homme qui est venu la voir pour lui dire quelque chose. Je reconnais la voix du gendarme. Mes yeux restent collés. Et puis j'entends un cri. Un cri très long et très bas qu'on essaie d'étouffer. Mais je ne comprends pas si je rêve ou si c'est vrai.

Le lendemain, je vois que rien ne sera plus comme avant. Une enveloppe bleue dans la cuisine. Impossible d'attraper le regard de ma mère. Elle fuit quand je m'approche. Elle parle vite en baissant la tête. J'ai déjà mon bonnet de laine et mon manteau. Je la regarde. Elle s'agite comme si elle était en retard, mais elle ne fait rien. Elle prend l'enveloppe en passant et la fait

disparaître. Elle range la robe de mariée en boule sur
l'armoire. Elle me donne la main, m'emmène dehors,
cache son visage dans son châle. La neige fond déjà.
Il y aura de la boue dans la cour de l'école.

Pendant un mois, je vis dans le souvenir de cette nuit
d'après la neige. Ma mère n'arrive toujours pas à me
regarder. Elle a changé. Quand elle me dépose à l'école
le matin, je suis presque soulagée qu'elle s'en aille. Elle
s'éloigne à petits pas, alors que le sol ne glisse plus du tout.

Je dois faire vite. On compte sur vous, capitaine. Je fais
tout pour que mon jour arrive.

Et ce jour finit par venir. C'est un matin de soleil,
en février. Au fond de la classe, je m'applique à suivre
la craie sur le tableau noir. Rien ne m'échappe. Chaque
mouvement de la main du maître. Il se retourne en
secouant la poussière blanche sur sa manche.

Je regarde à nouveau le tableau. Tout s'éclaire,
pour la première fois. Comme un brouillard qui s'évapore
d'un coup sur les choses. Ma mission est presque terminée.

Je ne dois plus attendre. C'est le moment. Je suis prête.
Je pense à la médaille que j'ai vue en rêve. Tout devient
possible. Je dois
maintenant me battre
à découvert.

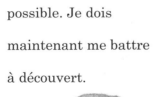

– Jeune fille?

Le maître est devant moi. Je n'ai même pas réalisé que
j'ai la main levée pour l'appeler. C'est la première fois.
Jamais rien demandé jusque-là.

J'explique que j'ai oublié mon cahier à la maison. Je veux
aller le chercher. Le maître dit que ce n'est pas possible.

Je prends un air sérieux. Je me tiens bien droite, les
yeux braqués vers lui.

– C'est juste au bout de la rue. Je connais le chemin.

– Tu prendras une feuille de papier.

– J'ai besoin de mon
cahier.

– Non. Tu restes ici.

Le ton est sans appel.

Je sors ma deuxième arme avant qu'il ne se détourne
de moi. Mes yeux retombent d'un coup vers mes chaussures.
Et déjà une larme gonfle entre mes cils.

Cette fois, le coup semble atteindre son but. Panique
dans les rangs ennemis. La barricade ne tiendra pas
longtemps devant une petite fille qui pleure. Mais il me
faut des renforts.

Une voix retentit juste à côté de moi.

– Je peux l'accompagner.

C'est Edgar. Il a l'air si sage que je ne le reconnais pas.

Le maître hésite. J'essuie mes yeux avec mon poing.
Il frotte nerveusement sa main pleine de craie sur
la poche de sa blouse.

– Bon.

Il me regarde. Puis Edgar. Puis moi.

– Vous avez dix minutes. Je n'aime pas quand les élèves se promènent.

Je marche dans la rue avec mon lieutenant derrière moi. Le village est désert. Un soleil froid éclaire les toits mouillés. De la fumée s'échappe des cheminées de la boulangerie. Comment peut-on savoir que c'est la guerre ? Les combats sont si loin de nous. Des oiseaux jouent dans le clocher de l'église. Je les vois frôler la cloche.

Notre patrouille arrive devant la maison.

– C'est là.

– C'est ouvert ? demande Edgar.

Je prends la clef cachée dans le trou du lézard, à gauche
de la porte. Je n'ai même pas peur du lézard. Je tends
la clef à Edgar.

— Ouvre, s'il te plaît.

La serrure est vieille. D'habitude, on n'arrive pas
à tourner la clef. Mais Edgar ouvre facilement la porte.
Je lui montre la grosse pierre où il peut s'asseoir.

— Attends-moi. Je reviens.

Il s'accroupit à côté de la pierre. C'est mon meilleur soldat.

Quand j'entre dans la maison, j'ai l'impression d'avoir
grandi d'un seul coup. Je ne suis jamais entrée toute
seule ici. Je fais un premier pas. Il y a seulement deux
pièces : ma chambre qui était celle de mes parents quand
j'étais toute petite, et la cuisine. C'est là que dort ma mère
depuis la guerre.

Je pousse la porte de la cuisine.

J'ai l'impression que tous les objets

me regardent. Même la pendule

se demande ce que je fais là.

Mais je tire une chaise vers les étagères.

Elle gémit sur le sol pour me dire

qu'elle n'est pas d'accord. Je grimpe

et j'attrape la boîte en fer,

tout en haut. Je regarde

la boîte entre mes mains.

Et le miracle se produit. La boîte

me parle. La boîte que j'ai souvent vue sur la table,

muette, avec les moutons dessinés qui se reposent sous

un arbre et le berger au loin... Cette boîte fermée s'est

mise à parler. Les mots viennent lentement.

Assortiment de... confiseries.

C'est écrit sur une ligne, en lettres bleues.

Je me bats pour cela depuis des mois. C'était ma mission.

Je sais lire.

Je descends de ma chaise, pose la boîte sur la table et retire le couvercle. Les enveloppes sont là.

Je prends celle du dessus. Je l'ouvre. Je n'ai plus assez de souffle pour suivre l'écriture escarpée de mon père mais je prends les plus petits mots du papier, ceux qui me sautent au visage dès que je me penche.

Le mot *rats*, le mot *sang*, le mot *peur*.

Jamais ma mère ne m'a lu ces mots-là.

Il y a une phrase soulignée qui dit *Ici, il pleut du fer et du feu.*

Et, plus bas, tombés au pied de la page, les mots *enterrés vivants* et *boucherie*.

Je cherche la lettre où il a dessiné les soldats au bord de la forêt. Elle est là. Je la déplie. Je cherche le mot *truite*, le mot *bicyclette* qu'avait prononcés ma mère. Il n'y a pas la trace d'un ruisseau, d'une truite ou d'une bicyclette. Rien.

Il y a seulement écrit *Je pleure la nuit dans la boue* ou *Oh, chérie, tu ne me reconnaîtrais pas.*

Mais je lis mon prénom à la fin, il l'a écrit avec de belles lettres rondes, comme si ce nom était dans une autre langue, comme si j'étais d'une autre planète.

Embrasse Rosalie.

– Qu'est-ce que tu fais?

C'est la voix d'Edgar. Je ne me retourne pas. Il ne doit pas voir les larmes de son capitaine.

– Tu sais lire? demande-t-il.

Je remue les lettres dans la boîte. Mes mains tremblent. Je cherche l'enveloppe bleue. Il répète:

– Tu as appris à lire?

– Je veux trouver mon cahier.

– Tu l'as caché sous ta chemise. Tu l'avais déjà dans la classe. Il faut y aller. On va nous découvrir.

Je remets la boîte sur l'étagère. Je tire le cahier qui était plaqué sous ma chemise. J'imagine du fer qui tombe du ciel, mon père couché sous le ciel en feu.

En sortant de la maison, j'ai mal mais quelque chose s'est ouvert en moi. Je m'arrête un instant.

Je respire l'air pur et piquant de la vérité.

Sur le chemin du retour, je demande à Edgar :

— Pourquoi tu n'as pas dit au maître que j'avais mon cahier dans ma chemise ?

Il hausse les épaules et continue à marcher devant moi. Puis il dit :

— On est du même camp.

J'ai rejoint le banc, au fond de la classe. Je pense à la lettre bleue. Où est passée la lettre bleue ? Elle est arrivée la nuit d'après la neige. C'est elle qui connaît le dernier secret. Il n'y a pas eu d'autres lettres après elle.

Je n'écoute plus ce qui se passe autour de moi.

La fin de la matinée. Le repas. Aujourd'hui, je ne me rappelle pas les heures qui ont suivi.

Quand sonne la récréation, chacun se précipite sur son manteau. Je reste assise dans la tempête. J'entends Edgar qui me demande «Tu viens?». Je ne bouge pas. Quelques élèves commencent à sortir dans la cour.

Je dis à Edgar :

— S'ils me cherchent, tu leur diras que je suis allée au ruisseau, près du moulin.

Il me regarde. Le brouhaha continue autour de nous.

— Tu as besoin de moi?

— J'ai besoin de toi pour leur dire que je suis allée au ruisseau. D'accord?

Il acquiesce.

Je me laisse glisser sous le banc et je me mets en boule. À la porte, le maître frappe du pied.

— Dépêchez-vous. On sort!

Il est déjà en train de bourrer sa pipe avec son tabac. Il crie:

— Edgar! Tu m'entends? Je vais fermer la porte.

Edgar sort à son tour. Je reste cachée sous mon banc.
La porte claque.

J'entends ma respiration dans la salle déserte. Après quelques secondes, je me glisse vers la fenêtre, du côté de la rue. J'ouvre la fenêtre de la classe. J'hésite un instant. Je sens l'odeur sucrée de la pipe qui vient de la cour jusqu'au trottoir, avec les cris des enfants.

Enfin, j'escalade la fenêtre et je saute dans la rue. Je ne prends pas la direction du ruisseau. Je cours vers la maison.

Je prends la clef dans le trou du lézard. Pour la première fois, je réussis à ouvrir la porte. La boîte. Les lettres se répandent sur la table de la cuisine.

Il n'y a pas la lettre bleue. Je me lève.

Je cherche dans les casseroles, dans les tiroirs, dans le buffet de l'entrée, dans l'armoire. Je fouille dans les poches des gilets de ma mère, dans les papiers du grand classeur rouge... Où est la lettre ? Je ne sais plus ce que je fais. Je regarde sous le matelas, entre les planches du lit. Je défais entièrement le lit de ma mère. Les draps s'étalent dans la pièce comme des fantômes. Et puis, tout à coup, je lève les yeux vers le dessus de l'armoire. Il y a la robe de mariée, roulée en boule. Je m'approche et grimpe sur le poêle juste à côté. Je soulève la robe poussiéreuse, je glisse ma main sans rien voir.

Elle est là. Sous la dentelle du voile.

Je prends le carré bleu de la lettre.

Je vais m'asseoir à la table. Je l'ouvre.

Ministère de la Guerre.

Ces quatre mots écrits tout en haut.

Je lis seulement ceux qui viennent à moi.

Madame, *regret*, *douleur*, et puis le nom

de mon père en entier. Et puis cinq

autres mots comme cinq coups de canon

dans le soir tombant.

Mort en héros au combat.

Ces mots résonnent longuement

dans ma nuit. Ils font éclater un nuage

de poudre autour de moi.

Mort en héros au combat.

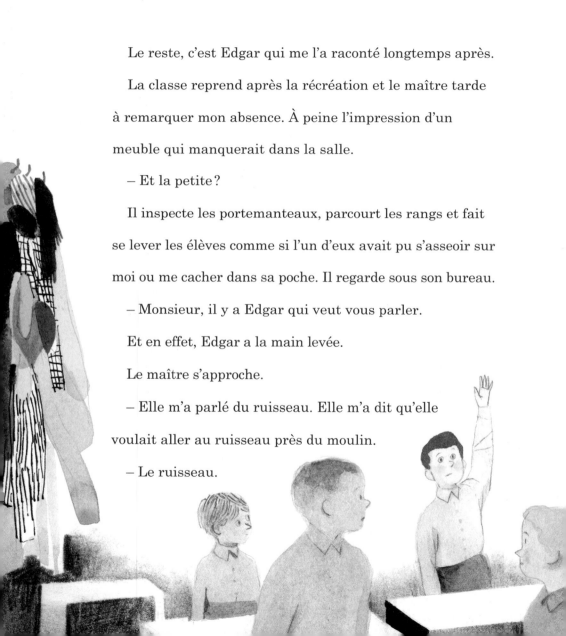

Le reste, c'est Edgar qui me l'a raconté longtemps après.

La classe reprend après la récréation et le maître tarde à remarquer mon absence. À peine l'impression d'un meuble qui manquerait dans la salle.

– Et la petite?

Il inspecte les portemanteaux, parcourt les rangs et fait se lever les élèves comme si l'un d'eux avait pu s'asseoir sur moi ou me cacher dans sa poche. Il regarde sous son bureau.

– Monsieur, il y a Edgar qui veut vous parler.

Et en effet, Edgar a la main levée.

Le maître s'approche.

– Elle m'a parlé du ruisseau. Elle m'a dit qu'elle voulait aller au ruisseau près du moulin.

– Le ruisseau.

Le maître tourne sur lui-même, le visage blanc. Il a l'air de chercher une sortie de secours.

– Mon Dieu, le ruisseau. Mettez vos manteaux !

En un instant, tout le monde est dehors. Ce pourrait être la fête, mais un grand silence règne. On n'entend que le martèlement des semelles dans la cour.

Le maître se tourne vers Robert, le fils du gendarme.

– Toi, va chercher ton père.

La classe part au trot vers le ruisseau. C'est la première fois qu'on voit le maître courir.

L'obscurité commence à tomber. Edgar mène les troupes.

En arrivant sur la rive, on découvre que l'eau a monté.

Le ruisseau est un torrent. Le maître est si pâle qu'on

dirait un ver luisant à l'ombre des saules.

— Mon Dieu ! murmure-t-il. Mais qu'est-ce qui lui a pris ?

Edgar organise deux groupes. L'un qui remonte, l'autre

qui descend le long de la rivière. Le gendarme vient

d'arriver avec son fils et le cantonnier. Ils partent inspecter

la roue du moulin qui broie tout ce que le courant lui donne.

— Et sa mère ? demande le maître d'école. Qu'est-ce qu'on

va dire à sa mère ?

On entend des éclats de voix, de loin en loin, au bord

de l'eau :

— Rosalie ! Rosalie !

— Est-ce qu'elle sait nager ?

– Rosalie !

Et tous se rendent compte qu'ils n'avaient jamais
prononcé mon prénom.

Quand ma mère arrive, la nuit est entièrement tombée.
Elle passe à l'école où un élève monte la garde. On lui dit
que j'ai disparu. Elle court vers le ruisseau.

Le maître s'avance vers elle. Il a de la boue dans les
cheveux et sur le nez. Ses chaussures sont remplies d'eau.

– Madame…

Il est incapable de dire autre chose.
Ma mère regarde la surface de l'eau.
Le gendarme est revenu du moulin.

– Elle a parlé de cet endroit à
un camarade. Est-ce que votre
fille venait parfois près d'ici ?

Ma mère ne répond pas. Le gendarme la prend par le bras et l'emmène à l'écart.

— Dites-moi… Est-ce qu'il est possible que la nouvelle de son père…

— Non, répond faiblement ma mère.

— La petite avait l'air forte mais…

— Je ne lui ai rien dit sur son père.

— Comment !

— Je ne peux pas. Je n'y arrive pas. Tous les soirs, j'essaie de lui parler, et…

Elle détourne son visage. Le gendarme se tait.

Edgar sort de l'ombre. Il est essoufflé. Il a tout entendu.

— Je voulais vous dire, je crois que j'ai vu Rosalie chez vous par la fenêtre de votre cuisine. La porte est fermée de l'intérieur.

Il y a maintenant cinquante personnes autour de la maison, dans la nuit. Ma mère s'approche de la fenêtre. Elle se colle contre le carreau.

– Rosalie…, dit simplement ma mère.

Elle me voit endormie, la tête sur la table, au milieu des lettres. La cire de la bougie fond sur des enveloppes à côté de moi.

– Qu'est-ce que c'est, autour d'elle? demande le maître qui a posé son front sur le carreau.

– Elle sait lire, dit Edgar avec fierté.

Le maître se tourne vers lui, perdu.

– Qu'est-ce que tu dis?

– Elle sait lire, monsieur!

– Mon Dieu, souffle-t-il.

Un bruit sourd. Le gendarme vient de forcer la porte.

Il ne veut pas entrer le premier. Il appelle ma mère.

Elle quitte la fenêtre, s'approche.

Les élèves font une haie d'honneur pour la laisser passer.

Elle entre seule, doucement.

J'ouvre les yeux. La cuisine est toute repeinte en or par
la flamme de la bougie.

Je vois ma mère.

Je me redresse sur ma chaise.

Elle a le visage que j'aime. Celui des
jours fragiles.

Elle reste debout devant la table.

Je lui dis :

– Je voulais savoir.

– Oui, Rosalie.

– J'ai réussi.

60

– Oui.

Elle fait un pas, me prend dans
ses bras et je pleure avec elle.

Le gendarme disperse
la petite foule, autour
de la maison.
Des points lumineux
s'évanouissent dans
la nuit.

Ma mère sort une enveloppe bleue plus épaisse
de sa poche, un paquet *Ministère de la Guerre* qu'elle
a déjà ouvert.

– Je l'ai reçu aujourd'hui. C'est pour toi.

J'ouvre le paquet. Il y a d'abord une autre lettre.
Je lis les mots *mort en héros* que je connais déjà.

Et puis d'autres mots incompréhensibles, *à titre posthume* et *patrie reconnaissante*. Mais dans le paquet, sous la lettre, il y a un petit objet qui pèse lourd dans un sachet de velours.

Je tourne la tête vers la fenêtre.

Edgar, dehors, me regarde. Je lui souris dans mes larmes.

– C'est pour toi, répète ma mère.

J'ouvre le sachet sur la table.

C'est une médaille en bronze étincelante avec son galon bleu.

Comme un petit poisson vivant dans ma main.

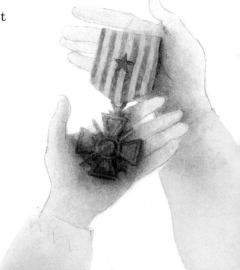